umbrella

UP UP UP

up, up, up

u

underwear

unicorn

I row **u**nder the bridge.

2

I dive **u**nder the water.

I put on my **u**nderwear.

I put **u**p my **u**mbrella.

I go up, up, up.

I go **up**, **up**, **up**
to the moon.

I go **up**, **up**, **up**—
up into the sky.
I go **up**, **up**, **up**—
just look at me fly.